郑栗儿/著

周瑞萍/绘

大师密码 A-Z系列

大师密码 I

谁比较聪明？

U0837250

人民东方出版传媒
People's Oriental Publishing & Media
東方出版社
The Oriental Press

图书在版编目（CIP）数据

大师密码 . I, 谁比较聪明？ / 郑栗儿著 ; 周瑞萍绘 . —北京 : 东方出版社 , 2015.10

ISBN 978-7-5060-8701-8

Ⅰ. ①大… Ⅱ. ①郑… ②周… Ⅲ. ①儿童故事—作品集—中国—当代 Ⅳ. ① I287.5

中国版本图书馆 CIP 数据核字（2015）第 259163 号

本书由台湾东初文化事业股份有限公司独家授权
中文简体字版专有权属东方出版社
著作权合同登记号 图字：01-2014-7452 号

大师密码Ⅰ：谁比较聪明？
（DASHI MIMA I: SHUI BIJIAO CONGMING？）

作　　者：郑栗儿
绘　　者：周瑞萍
产品经理：张媛媛
责任编辑：张媛媛
出　　版：东方出版社
发　　行：人民东方出版传媒有限公司
地　　址：北京市东城区朝阳门内大街 166 号
邮政编码：100706
印　　刷：小森印刷（北京）有限公司
版　　次：2016 年 3 月第 1 版
印　　次：2016 年 3 月第 1 次印刷
印　　数：1—5 000 册
开　　本：720 毫米 ×950 毫米 1/16
印　　张：5
字　　数：48 千字
书　　号：ISBN 978-7-5060-8701-8
定　　价：18.00 元
发行电话：（010）64258117 64258115 64258112

如有印装质量问题，请拨打电话：（010）64258123

目 录

出版前言

每个父母都希望孩子未来能出类拔萃，并在孩子的教育问题上倾尽心力。

许多孩子长大后成熟乐观，在社会上如鱼得水，但不少人成年后并不快乐。他们即使地位显赫、经济条件优越，依然郁郁寡欢。带来快乐的因素有很多，其中起决定作用的则是人格。面对同样的问题，不同的人格往往造就不同的结果。

怎样才能培养健全的人格？我们不妨到传统文化中去寻找答案。几千年来，儒、道、佛相得益彰，共同塑造着国人的精神世界。儒家关切社会的治理，道家关怀生命自然状态的保持，而佛家则关心人生痛苦的解除。故此，历史上就有“儒家治世、道家治身、佛家治心”的说法。

今天很多人习惯于将佛教简单理解为一种宗教，有的人甚至认为它是封建迷信。如果去掉宗教的外衣，它其实是一座充满智慧，兼具心理、品德教育功能的文化宝库。

为此，我们从台湾引进了这套“大师密码”A–Z 系列。这套书以 130 个佛教大师的成长故事，体现了 130 个美好的人格特质。沉着、孝顺、无畏、远见……从这些有趣的故事里，孩子们不但可以学会如何获得成功，更能明白如何倾听内心的声音，获得快乐。

这套书结构编排巧妙，集合了台湾优秀的作家及插画师。书中故事生动活泼，插画精美，在台湾广受好评，曾获得台湾“第 27 次中小学生优良课外读物推介”。相信它同样会得到大陆青少年朋友的喜爱。

推荐序

大师的密码　成功的特质

在我还是青少年时，就很喜欢阅读佛教大师的传记故事。可以说，我的人格就是从阅读大师的史传故事，点点滴滴建立起来的。

不论大人、小孩都喜欢读故事，法鼓文化历时两年的筹备，制作了这套有丰富精美插画的“大师密码”A–Z 系列。这套书中，选出 130 个“大师的美好特质”，一个特质就是一个大师故事，让孩子在趣味的故事中自然吸收大师的养分。

我曾指出佛教的高僧必须具有四大条件：持戒清净、修行精进、慈悲济众与护持佛法；如果转换成现代人的语汇，就是自律、认真、宽大、懂得回馈，而这些正是所有成功人士必备的条件。

很多家长以为孩子学佛会变得消极、不具竞争力；如果从大师的四大条件来看，这样的想法完全错误！孩子接触佛法绝对会更积极、健康，能为他们的一生奠定稳固的基础。

大师们的成就绝非偶然，也没有人一出生就是大师，父母应该提供这样的环境，让人格正在成长形塑中的孩子，吸收历代大师们的生命菁华，转化为他们自己的。我相信这一套“大师密码”A–Z 系列，能够成为孩子们成长的助缘！

聖嚴

台湾法鼓山禅修文教体系创办人

谁比较聪明？

大师密码 Intelligent 聪明

能让宋朝一代才子苏东坡服气的人物，一定不简单。不但要聪明，还能写得一手好诗才行，否则大伙儿聚在一起吟诗作对，说不出个所以然，那可就糗大了！虽然苏东坡经常出题考佛印，但佛印总是能反将苏东坡一军。

小时被称为神童的佛印，两岁就能背诵《论语》，五岁能诵诗三千首，作诗速度快如闪电，让人招架不及！这个小神童长大后受《楞严经》的启发，决心在宝积寺出家，法名了元，后来四处游历并参访名师。

佛印不但精通诗文与书法，也长于辩论，经常与文人以文会友。他和苏东坡之间的机智故事，最为大家所津津乐道。

小档案 佛印

- 国籍：中国
- 专长：禅修、写诗、书法
- 影响：佛印与文人们的禅话、禅诗交流，流传千古
- 事迹：苏东坡多次与他斗智皆输

野鸭子在水面悠游，春天来到了江南，只轻轻吹了一口气，就把河岸边的草地都吹绿了。

有两位好朋友趁着明媚的春光一同走访郊外的寺院，走在前面的是大文豪苏东坡，举止潇洒；走在后面的则是一代诗僧佛印禅师，风雅飘逸。

这两位无话不谈的僧俗知交，常常一起游山玩水，在佛学和文学方面也喜欢相互切磋，双方你来我往的，充满了趣味的禅机。

宁静的佛寺，因为他们的到访，也呈现出一派盎然生气。苏东坡在前殿见到两尊高大的金刚神像，兴致一来，故意问佛印：“我说佛印，你看这两尊威武的金刚❶神像，究竟哪一尊比较厉害呢？”

“当然是拳头大的那一尊啊！拳头大的赢嘛！”佛印顺口这样回答。

苏东坡笑笑，紧接着踏进了后殿，抬头看见一尊慈眉善目的观音❷像矗立眼前，手持一串念珠❸，他心想：“再考考你！”

苏东坡便又问佛印：“一般信徒手持念珠，是为了默念‘观音菩萨圣号’，向他祈求消灾得福；既然是菩萨，怎么这观音也跟着拿起念珠呢？”

❶ **金刚**：佛教称佛的侍从力士，因手拿金刚杵而得名。

❷ **观音**：佛教菩萨之一，佛教徒认为是救苦救难之神。

❸ **念珠**：用线贯串珠粒，作为念佛或持咒时，用以计数的随身法具。

聪慧的佛印当然知道苏东坡是在故意出难题，却并不在意，他眉开眼笑地回答：“因为菩萨也跟凡人一样需要祈求啊！”

苏东坡“哦”了一声，问：“他跟谁祈求啊？”

“跟观音菩萨祈求啊！”佛印扇着扇子，气定神闲，反而把苏东坡弄得满脸疑惑。

“他自己就是观音菩萨，干吗还跟自己祈求啊？”苏东坡一副不以为然的样子。

佛印忍不住笑开来：“这叫‘求人不如求己’。”说完后，苏东坡也跟着放声大笑：“佩服！佩服！”

类似这种幽默机智的随机测验，几乎是两人之间乐此不疲的游戏了。苏东坡虽然是才华横溢的文学家，却不见得能占上风，因为佛印自幼也是饱读诗书的天才神童，加上悟性甚高，年纪轻轻就访遍各大名师，参悟佛法真理，十九岁即登上佛寺说法的法席，声名远播，连宋神宗都十分仰慕他，除了赐予他袈裟❹外，还封他为“佛印禅师”。

❹ **袈裟**：出家人披在外面的法衣。

这一天，苏东坡和佛印又在佛寺的长廊相对坐禅。禅修功夫较差的苏东坡首先睁开眼睛，幽雅的庭园内，随风飘来的片片落叶，衬托出满园的静谧。苏东坡原想唤佛印共同欣赏如此静寂的美景，抬头却看见佛印犹在静坐之中，不动如山。

等佛印终于从禅坐中出定后，苏东坡便问佛印："佛印禅师这回可有什么悟境？"

佛印双唇微扬，反问："东坡的悟境又是什么呢？"

苏东坡灵机一动，哈哈大笑着说："我的悟境是佛印打坐的样子像一堆牛粪。"

听到这种搞笑的答案，佛印笑得很开心，并没有气恼。得意的苏东坡，忍不住问佛印：“那禅师认为我打坐像什么呢？”

佛印不假思索地回答：“像一尊佛。”

听得苏东坡更加自觉了不起，以为这一次总算赢了一回，但苏东坡回去后在傍晚抄经时，看着白纸上的经文，突然恍然大悟：“好啊！佛印，我又输你了！”

原来这经文上写的：如果内心清净的话，看出去的世界就是一片清净；而如果内心污秽的话，看出去的世界便是污秽不堪了。

佛印心中是佛，所以看众生都是佛，看苏东坡打坐自然也是佛；而苏东坡看佛印打坐像一堆牛粪，这不就表示苏东坡气量狭小，心里装的都是不洁的牛粪吗？

如此一悟，苏东坡真是自叹不如，觉得还是要好好修行才是。

转眼一个月过去了，苏东坡对于禅坐的境界更加深有体会了，仿佛任何烦恼不快和生活中的细节都不再能束缚他了，苏东坡觉得好开心。他拿起毛笔，为这种美好的心境题了一首诗："稽首天中天，毫光照大千，八风❺吹不动，端坐紫金莲。"随后赶紧派书童拿去给佛印过目，让佛印评论一下自己的功夫如何？

佛印接过信来，莞尔一笑，在纸上写了大大的两个字："放屁。"顺手交给书童回复苏东坡。

❺ **八风**：包括利益、衰灭、毁谤、赞誉、称道、讥诽、逼迫、欢悦。这八种状况会影响人的情绪，就像风一样，所以称"八风"。

满心欢喜的苏东坡以为佛印会给他一个“特优”的赞美评语，没想到摊开纸一看，居然说他放屁，这不是太欺负人了吗？

苏东坡气极了：“佛印，你不懂我的境界也就算了，怎么还这样侮辱人呢？”他顾不得饭没吃完、茶没喝完，随即搭上船越过江，跑去要找佛印理论一番。

偌大的寺门却掩得紧紧的，佛印似乎出游去了，苏东坡上前试着推门时，只见门上贴了一副对联：“八风吹不动，一屁打过江。”意思是：“苏东坡，你禅定的功夫不是已到了‘八风吹不动’的境界吗？怎么我佛印‘一屁’就把你打过江来了。”

原来佛印早就料到苏东坡看到回函后，一定会沉不住气跑来找他吵架，所以先避开了。

苏东坡站在寺门前，好好地又把对联看了一遍，明白了佛印的用心，这位好友其实是提醒自己不要太骄傲，要真正地不为外界所动，就算别人辱骂你、毁谤你，也不要随之动怒，这才是真功夫。而且修行更不是为了得到别人的肯定，以满足自己的虚荣心。

“好个佛印，我真是服了你了！”苏东坡心底充满了对佛印的感谢，那“一屁”早已飞到遥远的天空中了。

天真的最佳拍档

大师密码　Innocent 天真

唐朝的寒山与拾得这一对最佳拍档，从他们的无厘头行为，很难看出究竟是疯子还是菩萨。

寒山又名“寒山子”或“贫子”，住在山洞里。他总是一身破烂地跑到国清寺，像野兽一样乱吼乱叫，当寺僧气得提棒赶他时，他就像顽皮鬼似的哈哈大笑着逃跑。

拾得则是捡来的孩子，因为喜欢捣蛋，被赶到厨房工作。寒山最喜欢到厨房找他讨拾些剩菜剩饭。

他们本来被当成疯子，却因常说些饶富智慧的话语，时而会展现奇异的事迹。当他们发现被人们开始崇拜时，便消失了，他们的事迹反而成为一则则传奇。后来，人们还把他俩尊为文殊菩萨与普贤菩萨的化身呢！

小档案　寒山、拾得

- 国籍：中国
- 别称：和合二圣、和合二仙
- 专长：写诗、耍宝
- 影响：《寒山诗》为其重要作品
- 事迹：喜欢题壁写诗，和丰干和尚一起骑老虎

天台山清幽的国清寺，春光射至檐角，突然响起一首逍遥的诗：“千云万水间，中有一闲士。白日游青山，夜归岩下眠。”原来是一位头戴桦树皮帽，脚穿大木屐的清瘦和尚所朗读的，此刻，他正从不远处寒石山漫步而来。

他才吟完诗，寺内立刻传来僧人的回响：“什么闲士，你这个寒山又来讨食物了！吃完了就快走，不要又在回廊绕着念经了！还有，小声一点儿，我们的住持❶正在打坐。”

❶ **住持**：主持一个佛寺或道观的事务，后来指掌管一寺的主要僧人。

这些世故的僧人总嫌他像一个流浪汉，而且对他不时在墙面、廊柱上胡乱涂写诗偈，或兴之所至对天空高呼的行为，极为不耐烦。一看到他出现，就巴不得早点打发他离开。

但寒山装作一副没听见的模样，像孩子一般天真地笑，扯开喉咙大喊：“拾得，我来也！我肚子饿死了。”

这时从食堂露出了另一张天真的脸，对着他笑说："你来了！又被骂了对不对？哈哈——，我就知道，他们一定是嫌你太吵了！"

负责管食堂、香灯❷的拾得，是寒山的好朋友，此时他早已为寒山准备了满满一竹筒众僧吃完的剩饭剩菜，就等着他来吃了。

寒山拿起竹筒，问拾得："你说，世人谤我、欺我、辱我、笑我、轻我、贱我、恶我、骗我，应当如何？"

拾得回答："只是忍他、让他、由他、避他、耐他、敬他、不要理他，再待几年你且看他如何？"两人一唱一和好像在玩游戏一样，接着又是一阵开怀大笑，其他寺僧知道自己理亏，只好摸摸鼻子走开了。

❷ **香灯**：指焚香与燃灯。后世寺庙中掌管佛堂焚香、燃灯等工作者，也称为香灯。

寒山是藏身在寒石山中多年的隐逸僧人；拾得则是被国清寺负责舂米的老和尚丰干[3]，在路边捡回寺内养大的孩子，后来也当了和尚。寒山因为受丰干的点化，常到国清寺学习佛法，而和拾得结为绝佳拍档，两人都性情率真、不为世俗羁绊，时常用这种嘻嘻哈哈的游戏方式，提醒他人为人处世的道理。

“咦！丰干跑哪儿去了？”寒山吃完饭问。

“骑着老虎满山遍野乱跑去了！”

“老虎可真听他的话，走！我们去追骑老虎的丰干。”

[3] **丰干**：唐代僧人，以诗闻名，与寒山、拾得并称“国清三隐”。

丰干没事骑着老虎到处跑来跑去，在这一带可是大家都知道的奇事。寒山和拾得寻个满山遍野，还是没找到人，索性躺在柔软的草地上好好地睡了一觉，简直不知烦恼为何物。

寒山对空又吟起一首诗：“急急忙忙苦追求，寒寒冷冷度春秋。朝朝暮暮营活计，闷闷昏昏白了头。”

“好！”正是那个遍寻不着的丰干，从背后冷不防地冒出这么一句。

“找你半天找不到，什么时候来的呢？”寒山笑着问。

“随时！”

“那你什么时候走呢？”拾得跟着问。

“随时！”丰干又回答。

两人听完，手舞足蹈地指着丰干说：“随时来，随时走，随时解脱❹，随时涅槃❺。”三人开心地又哈哈笑了起来。

拾得被丰干捡到时，也有十多岁了，但他绝口不提以前的事，国清寺的住持经过食堂，停住脚步好奇地问：“拾得，你究竟是谁啊？你应该还记得你原名叫什么，家住在哪里呢？”

拾得放下手中刚洗好的锅子，继续洗锅盖，就是不理他。住持觉得很奇怪，这又不是什么大不了的问题，拾得干吗摆臭脸不说呢？

❹ **解脱**：指从烦恼中得到解放，不再有烦恼。与“涅槃”的意义相通。

❺ **涅槃**：佛教最高的实践目的，达到超越生死轮回、完全觉悟的境界。

这时，一旁吃完饭的寒山却哭了起来，两人都被他吓了一跳，拾得对着寒山大叫："你哭什么？跟你又没关系！"

寒山吼着说："我这叫凑热闹，你不懂吗？俗话说，东家人死，西家助哀。这老和尚一直执着你的过去，我就顺便为你办丧事，哭个几声！"说完，两人狂笑不已。

当时，有一位即将赴台州就任的闾丘胤太守，突然犯了头痛的毛病，许多医生都治不好，骑老虎四处游玩的丰干正巧经过这里，便帮他治好了头痛，闾丘胤因此再三感谢，想要亲自到佛寺拜谢丰干。

丰干不置可否，只说："国清寺另有两位寒山、拾得高僧，德行媲美文殊、普贤菩萨，你可以去见他们。"然后骑着老虎又不知去向了。

闾丘胤到台州就任后，立刻赶往国清寺求见丰干。

“丰干不在，不知去哪儿了。”众僧不明白，怎么会跑来一位太守要找老是不见踪影的丰干呢？

“那请问寒山或拾得在吗？”让大家感到更奇怪的是，太守还要见那两个疯和尚。大伙儿只好半信半疑地带着他走到厨房门口：“喏，在里面！”

闾丘胤一见到他们，立刻跪在地上：“弟子奉丰干禅师的吩咐，来向两位大师请教。”

一群围观的寺僧早挤在厨房外头看热闹了，只见寒山和拾得彼此嚷着：“这丰干真多嘴！”

接着他俩又对闾丘胤说：“你连阿弥陀佛❻是谁都认不出来，还来跟我们顶什么礼？”

两人“咻”的一下从人群中钻出来，跑到寒石山的洞穴里躲了起来，留下众人一阵错愕：“难道这两个疯和尚真是大师不成？”

❻ **阿弥陀佛**：西方极乐世界的最大佛，具有无量的光明与寿命。

闾丘胤不死心，过两天又上寒石山找他们。整座寒石山简直就是缥缈的奇幻异境，闾丘胤仿佛误闯入另一个不存在的空灵世界，他继续在古老的森林里穿梭，终于在一个洞穴附近发现了寒山的身影。

寒山看见他，急忙大喊了两句："贼！贼！"就快速闪进洞穴内。

闾丘胤奔过去一看，洞穴的门已经被岩石阻住了，他不禁失望非常，用手推岩石，却怎么也推不开它。这时岩石上刻的一首诗映入他的眼帘："自乐平生道，烟萝石洞间。野情多放旷，长伴白云闲。"他恍然中得到了领悟，眼睛望向四周飘落的树叶，发现每一片叶子上都写满了诗，再往前的村家屋壁上，也都是诗，原来这都是寒山所书写的开悟禅诗。

尽管没见到寒山与拾得，闾丘胤却得到了这份丰厚的礼物，他将搜集的三百多首诗偈编辑成册，为世人留下了两位大师返璞归真的超脱事迹。

沉着的辩论高手

大师密码 Imperturbable 沉着

护法原本是南印度达罗毘荼国大臣的儿子，与公主虽有婚约，但他不想成为驸马，因此选择了出家。

年少出家的护法，精通大小乘佛法，才二十多岁就当上了当时最兴盛的那烂陀寺的住持。他在那烂陀寺教导过的学生，多达数千人。护法不只长于论理，常能化解其他宗派的挑衅。对于佛教的文字学、音韵学与语法研究也极为专精，当时的人认为必须研学过他的著作才算是学到家。

可惜他积劳成疾，才二十九岁便退休了。他离开那烂陀寺到大菩提寺，专研禅观并致力著作。短短三四年时间，护法的笔像烟火般灼灼燃烧，完成他多本皇皇巨著，但他的生命也因此油尽灯枯，年仅三十二岁就过世了。

小档案 护法

- 国籍：印度
- 别称：印度唯识十大论师之一
- 专长：唯识学、禅修
- 影响：护法的唯识学研究，为中国唯识宗的思想基石
- 事迹：虽然年少，却能沉着辩赢外道

一群佛教僧侣唉声叹气在干什么？少年沙弥护法看见师长们个个愁眉不展的样子，忍不住问了一句：“好好的天气又没下雨，干吗这么不开心呢？”

但没有人理护法，他们仍陷在巨大的叹息中。其中一名老法师好脾气地对他说：“哎呀！你年纪小，不知道我们现在遇上的麻烦有多大呢！搞不好还会把我们整个佛教给毁了！”

“真的这么严重？能不能告诉我究竟发生什么事了？”护法连忙请教。

原来国王最近迷上了外道❶，请了一位非常厉害的外道论师❷，写了一篇宣扬外道教义的文章，还召集佛教僧侣前去辩论，如果佛教僧侣辩输的话，就要自毁佛法，改信外道；如果他们辩赢的话，外道论师只需割舌谢罪即可。

❶ **外道**：又称外教，指佛教以外的宗教。

❷ **论师**：具有丰富常识，并且具有解说、辩论能力的人。

“这根本就不公平嘛！你看，对我们佛教来说，辩赢了也没什么好处，辩输了却是大祸临头，对方就算是输了，也只是一个人的名誉受损而已，对他们教团根本没什么影响！”

老法师气得吹胡子瞪眼睛，话才说完，另一位中年法师也跟着摇头说：“这个仗不好打，对方有国王在撑腰，而且听说那个外道论师是全印度数一数二的辩论高手，我们肯定赢不了的，看来这回佛教的气数要尽了！”

一群人只顾着怨天尤人，哀叹不公，却没有一个人愿意挺身而出，自愿迎战或是想出什么有建设性的好办法。

护法听他们叨念了老半天，趁着叹息的空隙，对众位师长们提议：“让我去吧！”

所有人听到护法的话后，几乎都同时转头，瞪大了眼睛看着这位小少年，心里想着：“是不是自己耳朵听错了？”

护法又说一次：“让我去和那个外道论师辩论吧！我的年纪小，如果侥幸获胜的话，那就是佛陀的保佑；如果不幸论败，对外也可以说：参赛者是一名年幼少年，当然比较缺少经验。这样，不管胜负的结果如何，都能够进退自如，对于我们佛教的伤害也较小。”

大家虽然不太放心，但总算有人愿意出面了，于是都松了一口气，纷纷点头同意：“好啊！你这个计策不错，那就派你去辩论了！”

护法虽然年纪轻，可他的聪慧却是有名的，如今他愿意承担这个苦差事，其中有些人更乐得脱离麻烦，他们心底暗想：“反正输的话，也跟我没关系，是护法自己要强出头的。”

华丽的王宫，被巨大的烛火照得更加金碧辉煌，国王端坐在正中央，一旁坐的是国王所尊崇的外道论师，他的脸上流露出志在必得的骄傲神情。辩论会即将展开，佛教这边由老法师领着护法入场，一开始人们都以为老法师是辩论代表，护法只是陪侍的小沙弥，等到护法坐上辩论者的座位，老法师退下时，众人才一片哗然。

国王睁着大眼睛，疑惑地问：“你们确定派对了人参加辩论？”

护法笃定地点点头。因为比赛并没有特别规定参赛者的年龄，所以国王也不能说护法年纪太小，不符合参赛的资格。国王心想：“这样也好，佛教这边派个乳臭未干的小子来，应该会输得更快，可以趁此早点结束。”于是，国王点头宣布：“既然如此，那辩论会就正式开始吧！”

外道论师的想法正与国王不谋而合，他见对手只是一位稚嫩的少年，完全不把他放在眼里，自己可是得道的论师，根本没必要和这不起眼的孩子辩论什么了！他索性拿起自己所写的文章高声朗读起来，只见四周一片安静，仿佛都沉醉在他那微妙玄奥的教义中。

“真是一篇无懈可击的文章啊！写得真好！”看着国王连连点头，外道论师得意极了，忍不住佩服起自己的好头脑来，并且准备一旦读完后就宣布自己获胜，以便省去麻烦。

这时，肃穆的会场突然传来少年护法激昂的声音，这声音充满了力量，丝毫不屈服于权威：“我不是来听你念文章的，而是要和你辩论，请国王赶紧定下辩论的题目，不要让我们一直听你冗长的长篇说教，如果你执意再读下去，那我就要宣布我赢了！”

外道论师瞥了护法一眼，趾高气扬地说：“你这小孩儿懂什么？我写的这篇文章可是真理中的真理，你要和我辩论，可以啊！如果你能把我这篇文章所要谈论的法理，一五一十地再讲一次，那我就甘愿认输，连辩论也不必了。”

护法并没有被对方的气焰吓住，反而沉着地响应：“好！那请你先把这篇文章读完吧！”

外道论师继续读起文章，经过了很长时间，蜡烛烧完又更换了新的，总算把三万两千字的文章读完了。

所有人都紧张地看着护法接下来的表现，只见护法从容不迫地站到国王面前，一开口便滔滔不绝地把论师费了九牛二虎之力所写成的文章，从头到尾复诵一遍，手中不但没有任何小抄，还把对方说不清楚的地方详加说明了一番，甚至连论师说话的语气和停顿的声调，都表现得十分像，简直就像录音机一样，没有半点差错。

护法说完后，赢得了在座众多人士的掌声，连国王也忍不住跟着拍手，那位外道论师知道自己已经输了，羞愧地拿起刀子就要割舌谢罪。护法及时制止他："如果你真心忏悔的话，那么也不必割舌，请改信佛教吧！"

外道论师因此感激得落下泪来，立刻请求跟随护法出家，面对此情此景，国王不禁动容起来，也跟着改信了佛教。谁能想象得到，一位少年沙弥竟然是拯救佛教兴亡的舵手呢！那些原本想逃避责任的佛教僧侣们，一起上前向护法敬礼，他们所礼敬的少年沙弥，长大后果然名列唯识十大论师❸之一。

❸ **唯识十大论师**：包括护法、德慧、安慧、亲胜、难陀、净月、火辨、胜友、最胜子与智月十位印度论师。

树上的先知

大师密码 Illuminating 启迪

唐朝的鸟窠道林禅师，是一位住在树上的奇特禅师。鸟儿都还会飞到鸟窝外，四处玩耍一番，鸟窠道林打起坐来可是一点儿都不马虎，整天都在树上专心打坐。

鸟窠道林九岁就出家了，他的本号为道林，“鸟窠”是别人给他取的绰号。因为有一次他云游西湖时，看到山中的一棵老松树长得非常茂盛，便心生欢喜一口气爬上树，就这样在树上住了下来。因为他住的树上有喜鹊巢，所以又被称为“鹊巢和尚”。

鸟窠道林虽然行为古怪，但他非常慈悲，总是不厌其烦地帮助前来请法的人解惑。就连白居易都要在他住的松树附近盖间房子，以便随时向他请教。

小档案 鸟窠道林

- 国籍：中国
- 别称：鹊巢和尚
- 专长：在树上禅坐
- 影响：带给人们禅的启示
- 事迹：以敏捷的智慧，帮助人们解除烦恼

一只鸟飞过森林，飞过一棵正在伸展枝干的松树，经过无数个古老夜晚，这棵松树长成森林里最巨大的树木，掉落的松果应该有一千颗吧！

很久很久以后，有一位禅师来到这棵巨松前，看着它那繁盛茂密的枝叶，盘结成好大的伞盖。

“真是特别啊！”禅师这样对松树说。

他索性爬了上去，敏捷得像一只猴子，爬到树顶横生的巨干上，坐在那里，眺望着天空，眺望着森林以外的旷野。

“这视野多么辽阔啊！让人的心胸不禁开阔起来了！这不正是我梦寐以求的境界吗？”禅师哈哈大笑起来，决定跟鸟一样，在这棵千年巨松上‘筑巢’而居。

慢慢地，人们知道道林禅师住在森林的巨松上面，常常在树干上一打坐就是半天，便叫他鸟窠道林禅师。如此一年、两年……几年时光过去了，不时还有人跑到树下，向禅师请教人生的道理。住久了，鸟也以为他是只鸟，连鹊鸟也飞来他身旁筑巢而居。

这一天，巨松前来了一位非常有名的人，那人不是别人，而是唐朝最著名的诗人之一——白居易，他的诗作平易近人，即使是三岁孩子读起来都能朗朗上口。白居易是一位虔诚的佛教徒，他听说鸟窠道林正在树上修行，特地前来拜访他。

一开始白居易以为那不过是一棵平常的树而已，直到站在它面前时，才被巨松高耸的样子给惊呆了。他抬头寻找禅师的踪迹，却遍寻不着，最后总算在数十公尺高的树顶枝干上，发现了禅师瘦小的身影，心里不禁为他捏了一把冷汗。

起初，他客气地轻轻喊了一声：“鸟窠禅师。”

想到禅师离地面这么远，可能听不见，便扯着喉咙大声地喊：“鸟窠禅师！”

正在打坐的禅师睁开眼睛，以悠远的音调开口道："来者是谁？不必那么大声说话，以免惊扰了树上刚出生的小鸟。"

白居易赶忙对着松树鞠躬作揖，恢复了原来的声调："我是白居易，久仰禅师大名，特地前来拜访。"但他还是有点儿犹豫，这么小声禅师听得见吗？

显然白居易多虑了，禅师在高高的树上可听得一清二楚，他朗声地说："大名不敢当，只是与日月同在，看春去秋来。"

白居易这才放心了，但担心禅师随时可能从树上掉落，摔个粉身碎骨的禅师，忍不住还是关切地问："您住在这么高的树上，实在太危险了！"

"谁危险？"禅师一副不以为意的样子。

"这树实在是太高了！住在上面真的很危险，您赶快下来吧！"白居易露出忧虑的神情。

"我看你才危险呢！"

"有没有搞错？是您住在树上，又不是我住在树上，怎么会是我有危险呢？"白居易心里纳闷地想了想说："禅师说笑了！"

禅师慎重地说："我可是说真的，我住在树上一点儿都不危险，你现在的处境才危险呢！"

白居易摇摇头："我是太守，出入都有侍卫守护，怎么会危险呢？"

禅师叹了一口气，缓缓地说：“那你就有所不知了，官场中的钩心斗角、沉浮不定，正像一根根木柴堆在一起，一个不小心的擦撞或者口角是非，就会引燃一把火，进而能把整个柴堆都烧起来，你说你是不是比我更危险？我只要自己小心点不跌下来就好了，你却无法控制别人找你麻烦。”

白居易听完禅师如此富有深意的话语，恍然大悟：“感谢禅师的启迪，那么请教您，我该如何做才好呢？”

随即从树上传来一段佛偈："诸恶莫作，众善奉行。自净其意，是诸佛教。"意思是：所有的恶事都不要做，所有的善事都要去做。让每一个心念都是清清净净的，这就是佛教的真义了。

但这番老生常谈，对于白居易而言，似乎太简单了，于是忍不住嘀咕："这道理连三岁的孩童也明白的。"他还以为禅师会说出更深奥的道理来。

没想到从树上传来一阵哈哈大笑声："这个道理虽然三岁孩童也明白，但是八十岁的老先生也不一定做得来，所以最重要的是要去做，不是只要知道就行了！"

白居易听到后好像被重重打了一拳一样，为自己的自以为是感到惭愧，他再三对着巨松上的禅师恭敬地叩谢，带着满心的感触离开了森林。

过了一段时间，白居易夜里睡觉时做了一场梦，他恍惚间变成了另一个位高权重的人，经历了非常风光的灿烂人生，一切都栩栩如生。

醒来后，梦消失了！所有的繁华也消失了！他不禁若有所思，在纸上写下了一番感触：“究竟梦是人生？还是人生是梦？世间繁华不也像梦境一样稍纵即逝，不可把握？”并请仆人把纸笺送到森林给鸟窠道林禅师，向他抒发心中的感慨。

鸟窠道林禅师看完信后，也给白居易回了一封信，信中大意是这样的：“来的时候没有痕迹，去的时候也没有踪影，来和去都是一样的，何必多管人生是如何，且为它空费心思？因为人生就在梦中。”

白居易收到信后，一扫心中的感慨，禅师的话仿佛一道光芒射进了他的心底，让他对于世间的繁华与人生的梦境不再执着，对于生命中高低起伏的遭遇，也能够彻底释怀，因为他相信只要每一件事都怀着善意去做，人生的方向就没错！

“真是一位树上的先知！”白居易手里握着信，称赞鸟窠道林禅师。

那位树上的先知，此时正闭上眼睛，进入了梦境，他在梦中来去自如，也在人生中来去自如，如同最初那只飞过的鸟。

买贫穷

大师密码 Idea好方法

迦旃延的父亲是阿盘提国的国师，但是从小天资聪颖的他，一点儿也不想靠父亲的力量获得成功，希望凭自己的实力，闯出一片天。

他的哥哥虽然游历各国，广学各门知识，结果回国后的讲说经典，还是输给了在家自行研究学问的弟弟迦旃延。为避免兄弟两人起争执，迦旃延的父亲便将他送到阿私陀仙人处学习。虽然阿私陀仙人要迦旃延皈依佛陀学法，但是年少自负的迦旃延，却觉得自己已经得道，不必再另寻名师了。

直到迦旃延因为对国王夸下海口，要在七日内解开古石碑上神秘诗偈的意义，万不得已才向佛陀求救。结果，迦旃延一听到佛陀说法，马上就开悟了，心服口服地皈依了佛陀，以他的智慧帮助佛陀弘扬佛法。

小档案 迦旃延

- 国籍：印度
- 别称：佛陀十大弟子中“论议第一”
- 专长：能分别深义，解说佛法
- 影响：思维清晰，帮佛教赢得许多论战
- 事迹：为得不治之症的八城长者说法，长者因此康复

印度一年一度的雨季又来了，丰沛的雨水整日下个不停，阿盘提国一时间变成了潮湿的国度。一名手持着水瓶，在河边徘徊的老妇人，满脸无助地望着天空阵阵落下的雨，也跟着流下了两行长长的眼泪，直接滴到河里，跟着河水一起流入海洋。

如果没有人理会这位老妇人，恐怕她会继续哭到地老天荒吧。

佛陀的弟子迦旃延正巧从河边经过，他看见哭泣的老妇人，关切地问：“您怎么了？”

“没事，我只是哭我自己太可怜！”原来老妇人身世坎坷，始终受到贫穷的折磨，看到天空下雨，触景伤情，忍不住悲从中来。迦旃延说：“有什么困难说出来，我来替您想想办法！”

老妇人叹了口气说：“你是个出家人，哪有办法为我摆脱贫穷的命运？我从小就当奴隶，常要饿着肚子做遍所有的苦差事，不但没有喘息的片刻，还要被主人打骂，连路上乱跑的圣牛都比我尊贵，这一切痛苦都是贫穷造成的啊！”

迦旃延是佛陀弟子中最善于说法的一位，他每次都能用巧妙的方法和特别的见解劝化他人。

听完老妇人的诉说，他脑筋一转说：“嗯！您的身世确实很可怜，这样吧！我告诉您一个致富的好方法，您可以把贫穷卖掉！”

披着破旧纱丽的印度老妇人听他这么一说，瞪大的眼睛像圣牛的牛眼一样，惊讶地说：“你真是胡说，贫穷也能卖吗？谁要买我的贫穷？”

迦旃延认真地点点头：“卖给我，我来买您的贫穷。”

“你要买我的贫穷？真是荒谬！”老妇人感到啼笑皆非，不过接下来听完迦旃延的讲法后，她就不这么认为了。

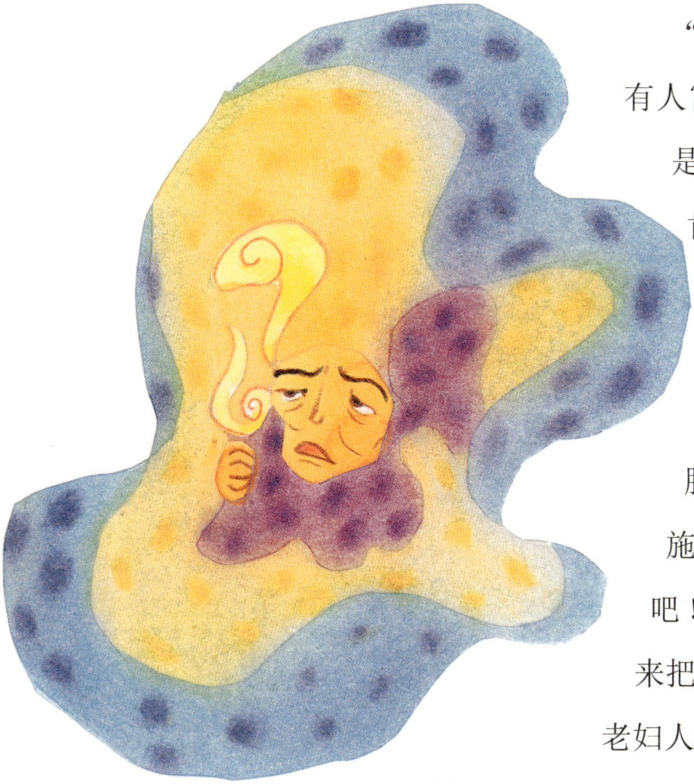

“这个世界上为什么有人富有、有人贫穷？那是因为富有的人前世肯布施❶修福，而贫穷的人却没有布施修福，才得到如此的果报。您想要摆脱贫穷，就要懂得布施。”迦旃延又说：“来吧！布施给我吧！让我来把您的贫穷买走。”

老妇人一听，立刻领会了迦旃延的意思，也觉得不应该再对自己的遭遇唉声叹气了，但还是苦着一张脸：“感谢尊者的开导，让我明白了今天为何会沦落到如此的惨况，只是我身无分文，无法布施你，就连手中这只水瓶，也是我主人的。”

❶ **布施**：以慈悲心给予别人各种物质与精神上的帮助，通过布施的行为能减少自己的贪心。

迦旃延把手中的钵举起来："您瓶里的清水总不是您主人的吧？您把水倒入我的钵里，就当作是给我的布施。布施不一定要用财物，您能随时帮助人，带给人快乐，并劝人为善，就是很好的布施方式啊！"

老妇人听得满心欢喜，赶快将瓶中的水倒到钵里。经过迦旃延这一番开示，她终于明白了布施的真义。从此以后，她总是热诚待人，不再处处抱怨，果然渐渐摆脱了贫穷的厄运。

迦旃延善用巧妙方法为人说法的智慧，可是与生俱来的。当他还是孩子时，有一天，在国外游学多年、遍访名师的婆罗门哥哥学成归来！同样是婆罗门的父亲便邀集村民，让儿子展现他多年来所学的知识。

一开始哥哥就摆出高傲的姿态："各位，我现在要讲的《吠陀》❷经典，它是世界上最高深的哲理，你们知道宇宙的本体是什么吗？"

哥哥只顾着卖弄学问，底下观众听得一头雾水、索然无味。没多久，一个个都走掉了，他们都跑到隔壁去听法了，只见那里挤了满满一群人，相形之下，这里显得格外冷清。

❷**《吠陀》**：原义为"知识"，是印度最古老的知识宝库与宗教文献。婆罗门教认为《吠陀》是古圣人受神的启示而写成的，其特色是神话、宗教、哲学三者混融不分。

那是一位俊秀的男孩，竟然也在滔滔不绝地谈论着《吠陀》经典，道理虽然高深，却用最简单的比喻来说明白：“其实宇宙并不遥远，我们人体就是一个宇宙……”所有人都听得津津有味，频频鼓掌赞扬，而这男孩正是从未出过门，只在家里自行研究经典的弟弟迦旃延。

被群众所吸引并好奇地跑去一探究竟的父亲，看到台上的迦旃延，吓了一大跳！

“我只是想帮哥哥补充一下他说不清楚的地方，没想到大家要我继续讲下去！”迦旃延嗫嚅地说。

但是他的一番好心，还是把好胜的哥哥给气炸了！为了避免两个儿子闹翻，父亲只好把迦旃延送去跟阿私陀仙人学习，后来阿私陀仙人觉得迦旃延太优秀了，就介绍他追随最高明的老师——佛陀。

在佛陀的教导下，迦旃延悟道了，并运用他创意、巧妙的方式，四处弘扬佛法，感化他人。

有一次，迦旃延来到偏远的地区弘法，那里刚发生了一件不幸的悲剧——国王最心爱的王妃不幸病逝了。

国王经不起这个打击，不愿埋葬王妃，还命令大臣把她的尸体浸在麻油里，避免腐烂。

每天他都悲恸地跟尸体说个不停："亲爱的，我多思念你啊！"

国王只顾沉浸在他的叹息中，把整个国家放着不管，让大臣们伤透了脑筋！

这时，有人突然想到："佛陀的弟子迦旃延正好在这里，他开导人总是很有办法，要不要请他劝劝国王？"

众人便建议国王去见迦旃延，国王以为迦旃延有神通可以让王妃复活，便兴奋地坐上马车赶紧前往。

一见到迦旃延，国王便说："请你一定要把我的王妃救活！"

迦旃延一句话也没说，只在园里折了一根树枝，然后把它交给国王说："你把这树枝带回宫内，记住不能让它枯萎，要永保鲜绿，这样你的王妃就能活过来了！"

国王半信半疑地问:“真的吗?可是这根树枝不是已经被折断了吗?”

迦旃延笑了笑,说:“是啊!这根树枝既然已经被折断,就只能枯死了,它还能够再活过来,保持鲜绿吗?”

国王摇头,他心里已经明白迦旃延暗示他生命的真理。迦旃延拍拍他的肩膀说:“您不要绝望,虽然您失去了王妃,但还有广大的人民支持您,您可以把对王妃的爱,化为对全国人民的大爱。”

国王擦干泪水，告别了迦旃延，回宫后他下令安葬王妃，并开始正常处理国家事务，他的子民都重新感受到国王的德政，人们除了感谢国王外，心中也很感谢这一位善巧说法的智者。

不管遇上多大的权威，总是三言两语就让人心服口服的迦旃延，后来便得到佛陀弟子中“论议第一❸”的美名。

❸ **论议第一**：迦旃延长于分析义理、解说佛法，经常与外道论战，所以被称为佛陀十大弟子“论议第一”。